prologue

忠実に再現した解毒棒は、美と健康の強い味方です！

私がMatty式足ツボマッサージを確立してから、もう20年以上になります。私のサロンには、むくみや冷え、肩こり、腰痛、不眠、ストレス、生理不順などといった体や心のさまざまなトラブルに悩む方から、「やせたい」「ボディラインを整えたい」などといったキレイを目指す方まで、毎日多くの方が訪れます。そしてみなさん、通ううちに不調を克服し、元気を取り戻していきます。そんな中、多くのお客様から、**「Mattyの手を家に持ち帰りたい！」「自分の手が Mattyの手だったらいいのに」**などといった声をいただくようになりました。私も常々、Matty式足ツボマッサージは、みなさんに自分自身で実践していただくことが、健康と美への一番の近道だと思っていました。そこで、みなさんが自分で手軽に私のメソッドを実践できるツールを作りたいと思い、開発したのがこの「解毒棒」です。解毒棒は、私の手のカーブや、指や関節の形などを忠実に再現して作った、今までにない形状のマッサージ&ツボ押し棒です。**解毒棒があれば、誰でもテクニックいらずで、Matty式足ツボ押しとマッサージができます。**体にたまった老廃物や余分な脂肪を効果的に押し流し、体外にスムーズに排出できるので、むくみや冷えなどの不調の改善や、美ボディ作りに役立ちます。マッサージすると、その独特の心地よさに、誰もがやみつきになるはず。私の手を活用して、みなさんが健康になるなら、うれしい限りです。軽くて持ち運びもしやすいので、こまめに使って、健康とキレイをキープしてください！

Matty

解毒棒でできること

解毒棒は、マッサージとツボ押し、2つの使い方ができます。老廃物や脂肪を押し流すときはマッサージ、不調を改善したいときはツボ押しと、目的に合わせて使い分けて。

マッサージ

解毒棒は、カーブ部分を押しすべらせることで、脚や腕、わき、ウエスト、フェイスラインなど、さまざまな部位をマッサージできます。Mattyの手のカーブを再現した独自の形状により、自分の手では押し流しづらい皮膚の奥の脂肪や老廃物を効果的に押し流すことができ、むくみ改善やスリミング効果が期待できます。

脚や腕だけでなく、わき腹や首、顔など全身のマッサージが可能。

これ1本で、脂肪とり、むくみとり、こりとりができます。

ツボ押し

自分の手でのツボ押しは、指が疲れたり、女性の場合はネイルをしていたりするため、やりにくいもの。でも解毒棒なら、先端をツボに当てるだけでラクに押せます。ツボの位置や範囲に応じて、棒の先端、持ち手の先端と、使う部分を変えることで効果的な刺激が可能。便秘や冷え、不眠と、さまざまな不調の改善が見込まれます。

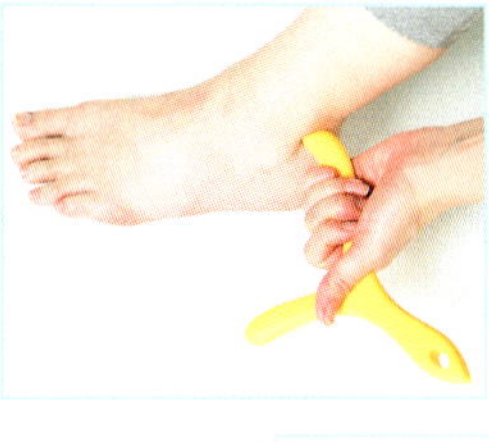

足の指やくるぶし、手のひらなどのツボ押しにも使えます。

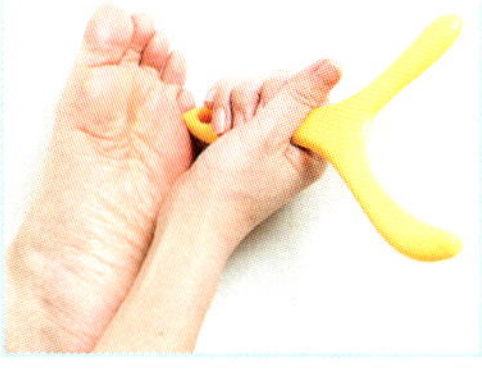

> 解毒棒のモデル！

Mattyの手ってなぜスゴイの？

絶妙な手のカーブと"水かき"が、深部の老廃物と脂肪をキャッチ

私が足ツボ師になったのは、20年以上前、私自身がストレスや卵巣嚢腫などの体調不良を、台湾式足ツボマッサージに出会ったことで克服したのがきっかけです。そこで台湾で足ツボマッサージを学び、その後、独自の研究も加えて確立したのがMatty式足ツボマッサージです。今では私のサロンには、さまざまな不調を抱える方から、女優さんやタレントさんなどまでが訪れ、効果を実感していただいております。

そんな方々がよく言ってくださるのは、「手の形が素晴らしい！」とか「Mattyの手だからこそできる施術だ」などです。

私がマッサージで使う、手の親指と人差し指の間のカーブは、"黄金比率のカーブ"と言われます。このカーブは、体のあらゆる曲線にフィットし、皮膚の深部まで入り込むようです。また、一般の人は、親指と人差し指の間のカーブの"水かき"に当たる部分がふにゃふにゃしていることが多いため、ここを体に押し当ててマッサージしても、力が逃げ、深部の老廃物や脂肪をとらえることができません。でも私の手は水かき部分がシャープで、適度な厚みもあるので、腕や脚などの長い範囲でも、同じ圧をかけ続けてマッサージできます。そのため深部の老廃物や脂肪を逃さずにとらえて押し流すことができ、高い解毒作用が得られるのです。また、ツボを押すときの私の親指は、しならず安定し、小さな範囲を押すときに使う人差し指の関節は、シャープでツボにしっかり届く絶妙な形だと言われます。この手のおかげか、私のサロンに来られた方は、みなさん不調が改善していきます。解毒棒は、そんな私の手の形が再現されています。Mattyの手のパワーを、ぜひ体感してみてください！

04

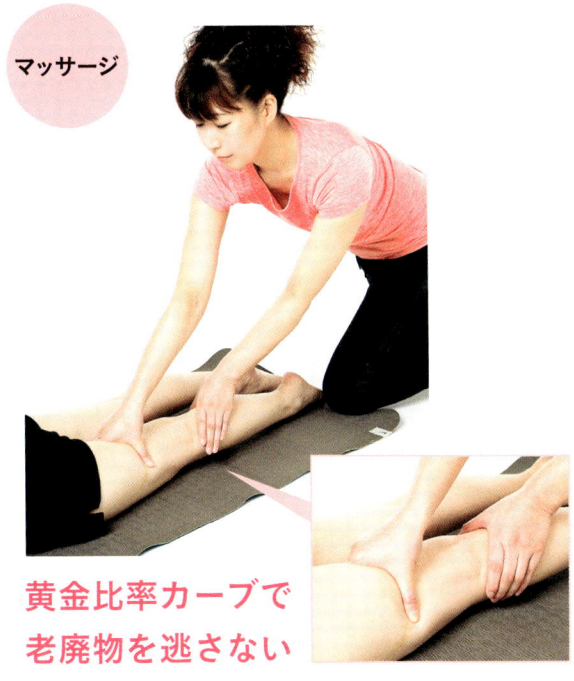

足ツボ

指や関節が安定し、ツボを強く押せる

ツボを押すとき、通常は、親指がしなったり、関節に力が入りにくいため、しっかりと押しにくい。でもMattyの指や関節はしならず安定し、力強く的確にツボを刺激できる。

マッサージ

黄金比率カーブで老廃物を逃さない

"黄金比率のカーブ"とも呼ばれる親指と人差し指の間のカーブが、皮膚の奥まで届き、老廃物や脂肪をしっかりとらえて押し流していくため、デトックス効果絶大。

Mattyの手でこんなに変わった！

冷え、むくみが改善し、脚が細くなりました！ （40歳・女性）
冷えがひどく、よく足がつっていたのですが、Mattyさんに脚のむくみを指摘され、何回か通ったら冷えもむくみも足のつりも改善。脚が細くなったのもうれしい効果！

Mattyさんのおかげで静脈瘤を防げました （50歳・女性）
脚の血管が目立ってきたのでMattyさんのサロンに行ったら、静脈瘤の始まりと言われました。4ヵ月ほど通って施術を受けたら血管が目立たなくなり、静脈瘤を防げました。

生理不順とニキビが改善して美肌に！ （28歳・女性）
生理不順を改善したくてMattyさんの施術を受けていたら、解毒作用のせいか、何をしても治らなかったニキビが解消し美肌になってビックリ。もちろん生理不順も改善！

Mattyさんの施術で不妊を乗り越え、妊娠！ （39歳・女性）
7年間不妊治療を受けても妊娠せず、Mattyさんのサロンに通うことにしたら、1年で生理が正しくくるように。さらに夫も施術を受けるようにしたら2年目に無事妊娠！

美容のプロたちもMattyの手に夢中!

「フェリーチェトワコ コスメ」
クリエイティブディレクター
君島十和子さん

モデルとして活躍後女優に。1996年、結婚を機に引退。現在は自身のコスメブランド「フェリーチェトワコ コスメ」のクリエイティブディレクターとして活躍。

弱点を見極めて癒やす力が抜群！不調を感じたときの駆け込み寺です！

私が不調を感じたときに駆け込むのがMattyさんのサロン。Mattyさんは、まるで手に精密な探知機があるかのように、体に触れただけでウィークポイントを的確に探り当て、力強いツボ押しやマッサージで癒やしてくれます。通ったら、**脚がむくみにくくなり、ラインも整いました。**Mattyさんは、"治ってほしい"という思いが強く、**自宅で自分でできるツボ押しやマッサージ法を惜しみなく教えてくれるのも素晴らしい点。**その気持ちが、解毒棒につながったんだと思います！

ヘア＆メイクアップ
アーティスト
高橋里帆さん

ナチュラルからフェミニン、シックまでさまざまなイメージを作り出すテクニックと、持ち前の明るいキャラクターで、モデルやタレントからの支持も高い。多数の女性誌で活躍中。

力強く細やかなマッサージと、確実なツボ押しで不調を改善する"魔法の手"！

Mattyさんとは、撮影現場で女優さんの脚のケアをされていたときに初めてお会いしました。その女優さんのむくみがみるみる取れて美脚になっていくことに驚いて、サロンに通ってみることに。そうしたら、**力強いのに繊細なマッサージや、確実にツボに入る感じに**、すっかり虜になってしまって。むくみがその場で解消するのはもちろん、時間が経つほど美脚に！**まさに魔法の手です！** でも解毒棒があれば、仕事場でもどこでも自分でマッサージできて便利なので、Mattyさんのサロンに行く回数が減ってしまいそう!?（笑）

> そんなMattyの手を再現！

今までにない画期的な形！
解毒棒のヒミツ

親指側

B カーブ

親指側は面で押すのにぴったり

解毒棒の親指側は、ほどよい幅と厚みがあるので、指の腹くらいの範囲を面で押すのにぴったり。顔や首などを面でプッシュしながらマッサージするときに最適な形状です。

表面がなめらかで肌を傷めにくい

握りやすい持ち手

ピンポイントで刺激できるMattyの関節を再現した形

持ち手の先端は、Mattyがツボ刺激に使う、人差し指の第2関節を曲げたときの角度を再現。指の腹の中心など、小さい範囲のツボをピンポイントで刺激したいときに最適。

持ち手

穴があるからフックにかけられる

08

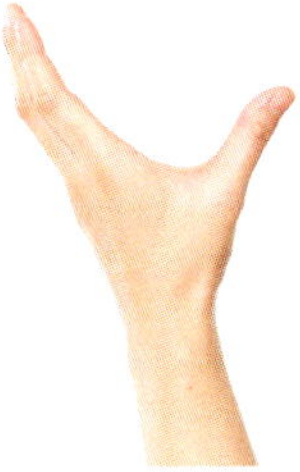

Mattyの手の黄金カーブを再現！老廃物を逃さない

Mattyの親指と人差し指を広げたときの黄金比率のカーブを再現。体の曲線にフィットし、一定の力をかけて脂肪や老廃物を押し流していくプロのテクニックが容易に実現できます。

深い部分の老廃物や脂肪をかき出せる絶妙な厚み

Aカーブは、Mattyの手の親指と人差し指の間の"水かき"にあたる部分の厚みを再現。ややシャープなこの厚みが皮膚の奥まで届き、脂肪や老廃物を効果的にはがし取ります。

Mattyのツボ押しをリアルに再現できる形

人差し指側の先端は、Mattyがツボを押すときの指の大きさや厚みを再現。自分の指で押すより圧をかけやすく、足裏や手などのツボを効果的に刺激できます。

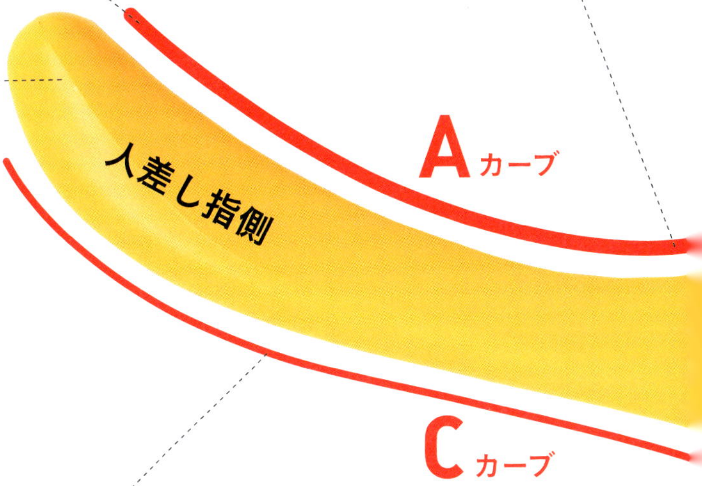

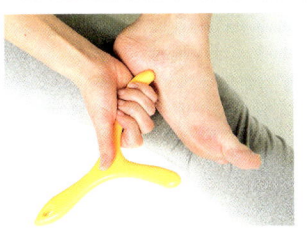

人差し指側

Aカーブ

Cカーブ

広い範囲をマッサージできるカーブ

Aカーブより緩やかな角度のCカーブとBカーブは、太ももやわき腹など、広い範囲をマッサージするのにぴったり。老廃物を広い範囲でとらえて押し流すことができます。

洗える素材だから衛生的

重さ52g！
軽くて携帯しやすい

解毒棒のうれしい効果

解毒棒でのマッサージやツボ押しを習慣にすると、以下のような6つの効果が期待できます。
こまめに実践して、健康とキレイをキープ！

1 むくみが解消

むくみの原因となるのは、リンパや血液の流れの悪さからくる老廃物の滞り。解毒棒なら、滞ったリンパや血液を効果的に押し流せるので、老廃物の排出が促進し、むくみが解消。

2 脂肪がスッキリ

解毒棒のカーブは、骨に近い部分にまで届く形状。このカーブを体に押しあててマッサージすることで、骨の近くにたまった余分な脂肪を押し流し、ボディラインが整います。

3 こりがとれる

解毒棒でマッサージやツボ押しをすると、血行が促進し、毛細血管の働きを活発にするため、こりが解消しやすくなります。血流がよくなることで、冷えの改善にもつながります。

4 老廃物を出せる

Mattyがツボ押しやマッサージを行うと、尿からの老廃物の排出量が通常の約7倍に上がったという実験データが。Mattyの手を再現した解毒棒も同等のデトックス効果が期待できます。

5 体と心の不調を改善

解毒棒では、体のいろいろなパーツやツボを刺激できるので、それによって、こり、冷え、疲れ、便秘、婦人科系のトラブル、不眠、ストレスなど体と心のさまざまな不調を改善できます。

6 小顔・美肌になる

解毒棒は、顔や頭皮のマッサージにも効果的。マッサージすることで筋肉の運動効果が得られてリフトアップし、たるみやむくみが改善して引き締まった小顔に。血行がよくなり美肌にもなります。

マッサージ編

解毒棒の持ち方

🟡 流す　🔵 押す

基本の持ち方

Aカーブが上に来るように、持ち手をしっかり握ります。腕や脚などを押し流すときや、ツボを押すときに使う基本の持ち方です。

> 解毒棒の効果を高める持ち方をお教えします

Matty's Advice

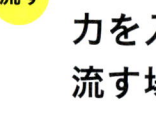

🟡 流す

力を入れて流す場合

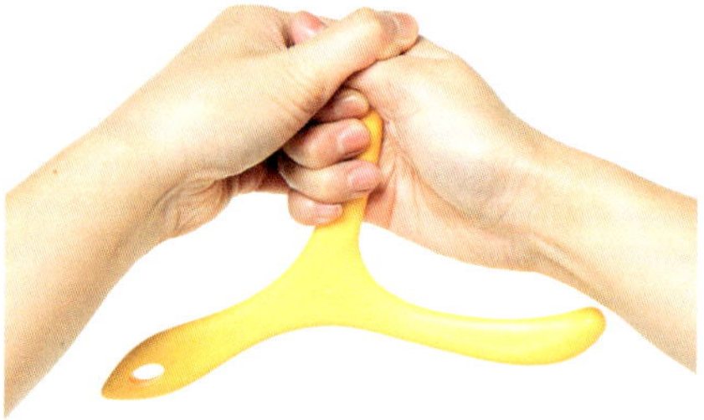

前ももなどの広い面を力を入れて流す場合、両手で棒の親指側を持ち、Cカーブを当てて流します。

🟡 流す

広い面を流す場合

太ももなどの広い面を流すときは、親指側や人差し指側を持ち、Bカーブ・Cカーブを使います。

❌ NG

押し当てる部分から離れた位置で棒を握ると、すべる可能性も。

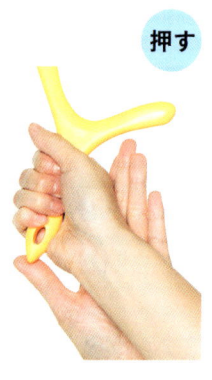

🔵 押す

ピンポイント押し その2

親指の腹の中央のツボなど、小さな点のツボを押す場合、持ち手を握り、先端を押し当てて刺激。

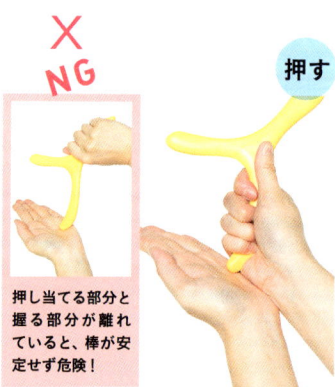

❌ NG　🔵 押す

押し当てる部分と握る部分が離れていると、棒が安定せず危険！

ピンポイント押し その1

手などのツボを点で刺激するときは、棒の人差し指側を握り、親指を棒の中央に当て、先端で刺激します。

12

マッサージを行うときのルール

解毒棒でのマッサージを行うときのルールが以下の4つ。
これを守って行うことで、正しく効果が得られます。

ⓨ 一日のうち、いつ行ってもOK。 ただし、食後は30分以上あける

解毒棒でのマッサージは、好きな時間に行えばOK。ただし胃に血液が集まっている食後にマッサージをすると、消化器官に負担をかけるので、30分以上はあけましょう。

ⓨ お風呂で使うときは、石けんなどですべりをよくする

解毒棒は服の上から日常的に使えるのはもちろん、濡れてもOKなのでお風呂でも使えます。お風呂では、肌に負担をかけないよう、石けんやバスオイルなどをつけて行いましょう。

※ 服の上から行うと、衣類を傷める可能性がありますのでご注意ください。

ⓨ 日常、肌に直接使うときは オイル、クリームなどを塗るとGOOD

お風呂以外で、解毒棒を肌に直接当ててマッサージをするときは、ボディオイルやクリームなどを塗ってすべりをよくして行ったほうが、肌に負担をかけずおすすめです。

ⓨ マッサージ後は必ず 白湯(さゆ)を200cc以上飲む

マッサージで流れた老廃物を尿としてできるだけ早く体外に排出するために、終わったら体温と同じ温度の白湯を200cc以上飲みましょう。尿が出なければ1時間後にもう1杯飲んで。

※ 体調により水分制限がある方は、医師に相談のうえ、医師の指示に従って白湯を摂るようにしてください。

> マッサージ START!

脚の脂肪・むくみとり

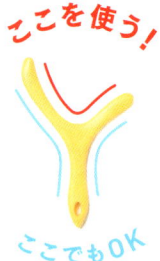
ここを使う！
ここでもOK

1 ふくらはぎの下半分を押し流す

POINT! ふくらはぎの半分の高さまで

10回

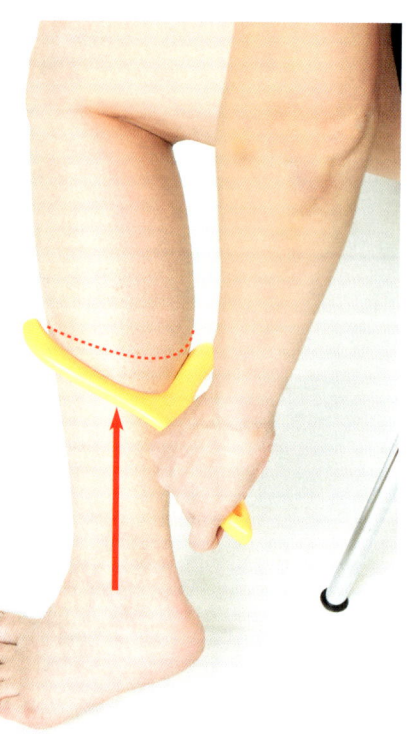

基本の持ち方で解毒棒を持つ。Aカーブを左足の足首に押し当て、ふくらはぎの半分の高さまで、力を入れたまま、下から上へと解毒棒を押しすべらせる。これを10回繰り返す。

2 棒の向きを逆にして同様に下から上へ

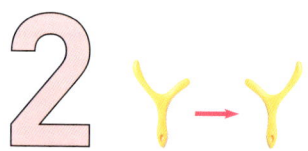

次に、持ち手部分を握ったまま解毒棒を反転させて逆向きにし、Aカーブを足首に当てる。同様にふくらはぎの半分まで、力を入れたまま下から上へ押しすべらせる。これを10回。

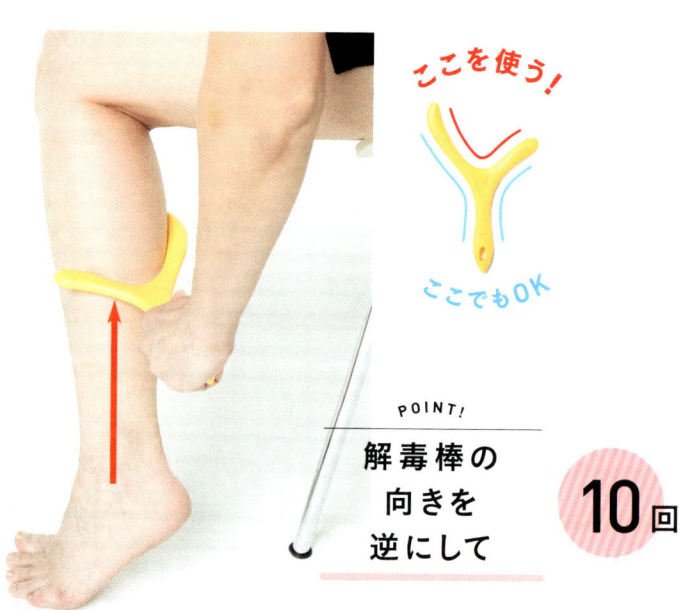

ここを使う！
ここでもOK

POINT! 解毒棒の向きを逆にして

10回

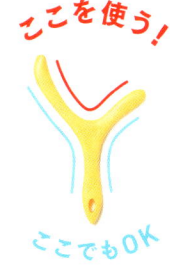
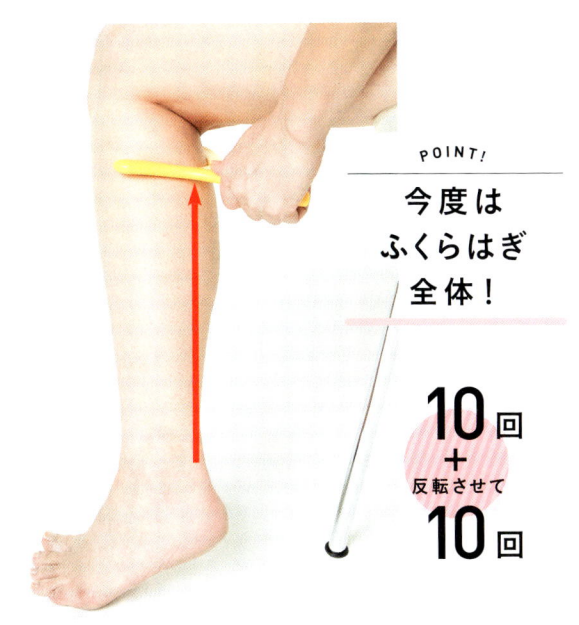

3 アキレス腱から ひざ裏へ押し流す

解毒棒のAカーブをアキレス腱に当て、ひざ裏へと押しすべらせ、自然と止まる位置で止める。これを10回。次に棒を反転させて向きを逆にして同様に10回。

POINT!
今度は
ふくらはぎ
全体！

10回
+
反転させて
10回

POINT!
イタ気持ちいいと
感じる程度に！

10回

4 ひざ裏の中央を 棒の先端でプッシュ

基本の持ち方で持ち、人差し指側の先端をひざ裏の中央に当て、3秒押して離す動作を10回繰り返す。ひざ裏中央の一点を行えばOK。イタ気持ちよく感じる程度の強さで行って。

脚の脂肪・むくみとり

5 前ももをひざ上から付け根へ押し流す

両手で棒の親指側を持ち、Cカーブを左足の前もものひざ上に当てる。力を入れたまま、脚の付け根に向かって押しすべらせる。これを10回。

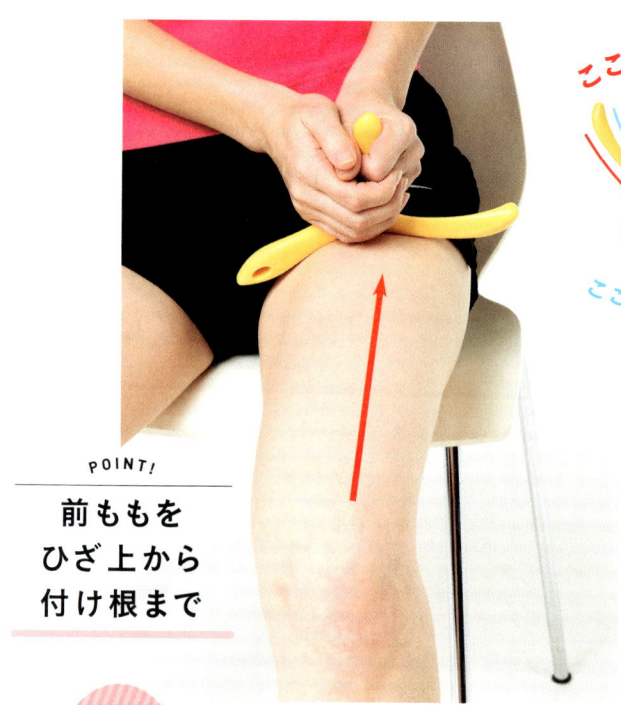

POINT!
前ももを
ひざ上から
付け根まで

10回

ここを使う！
ここでもOK

6 裏ももをひざ裏からお尻の下まで押し流す

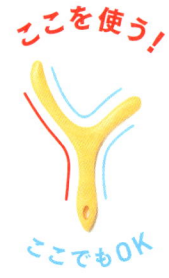

ここを使う！
ここでもOK

片手で棒の人差し指側を持ち、もう一方の手で持ち手を持ち、Cカーブをひざ裏に当てて、力を入れたまま、裏ももとお尻の境目まで押しすべらせる。これを10回。

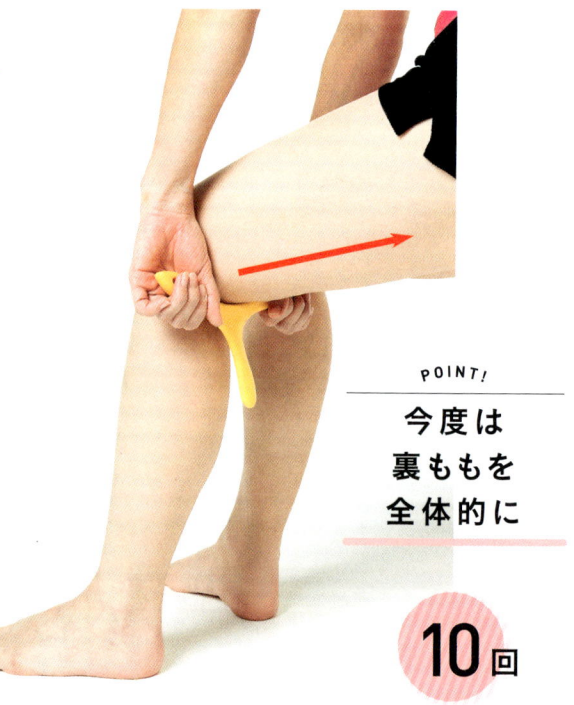

POINT!
今度は
裏ももを
全体的に

10回

16

7

内ももをひざ上から1/3の位置まで流す

棒の親指側を持ち、Cカーブを内もものひざ上あたりに当てる。力を入れたまま、内ももの1/3の位置まで押しすべらせる。これを10回。これで終了。1〜7を右足も同様に。

ここを使う！
ここでもOK

POINT!
ひざ上から1/3の位置まで

10回

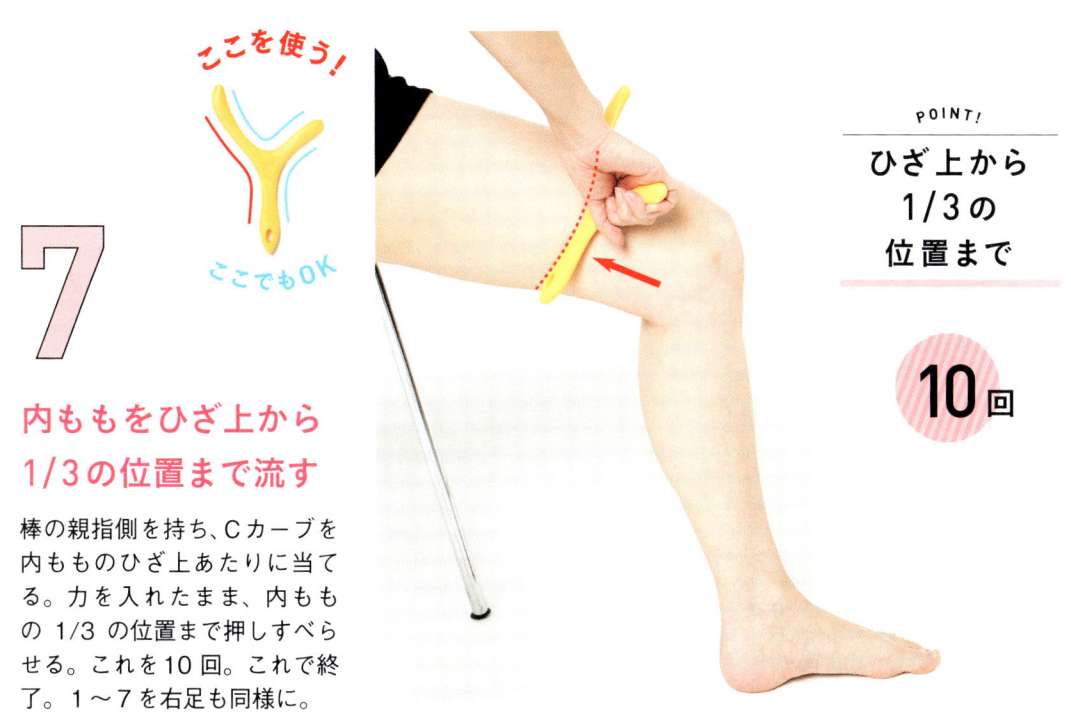

2本使いならスピーディ＆効果UP!

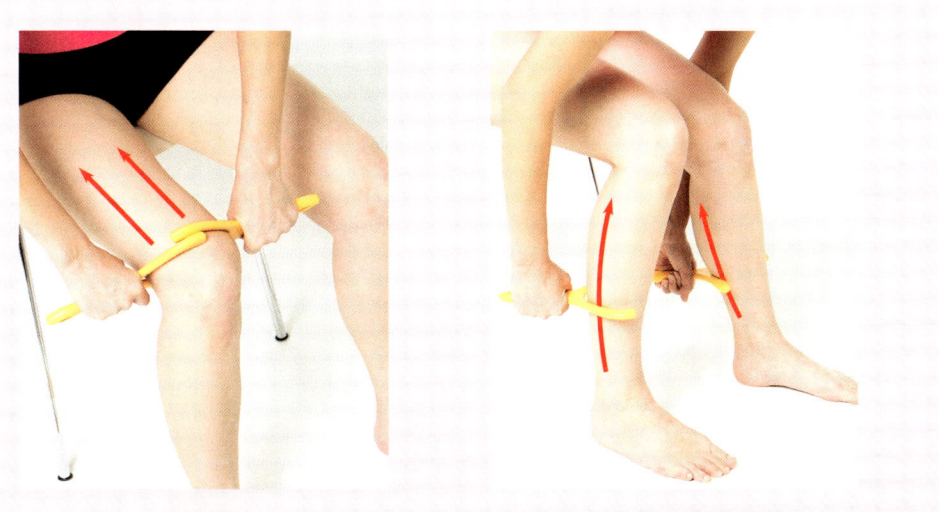

解毒棒を2本使って、左右の脚を同時にマッサージすれば、スピーディに行えて便利。また、片脚を2本ではさむようにして押し流せば、加圧効果で老廃物の排出作用がUP!

二の腕・わき・ウエストシェイプ

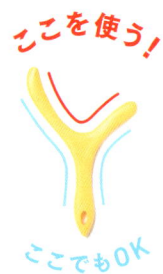
ここを使う！
ここでもOK

1 二の腕をひじからわきへ押し流す

基本の持ち方で持ち、反対側の腕を上げてAカーブをひじに当て、力を入れたままわきへと押しすべらせる。これを10回。次に持ち手を持ったまま棒の向きを逆にして同様に。

POINT!
二の腕を
力を入れて
押し流す

10回
＋
反転させて
10回

ここを使う！
ここでもOK

POINT!
イタ気持ちよく
感じる部分を
まんべんなく

各10回

わきの下の刺激は、万年肩こりや、四十肩、五十肩、手のしびれの改善にも効果的。
Matty's Advice

2 わきの下に棒を当て、3秒押して離す

解毒棒を基本の持ち方で持ったまま、人差し指側の先端をわきの下に当て、3秒押して離す動作を10回繰り返す。イタ気持ちいいと感じる部分をまんべんなく行って。

3

ここを使う！

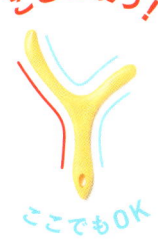

ここでもOK

わきのハミ肉を
上から下へ押し流す

腕を上げて、もう一方の手で解毒棒の親指側を持ち、わきのハミ肉部分（タンクトップの袖ぐりからはみ出す部分）にCカーブを当て、バストトップへと10回押しすべらせる。次に腕を下ろして同様に。

POINT!

ハミ肉部分から
バストトップ
に向かって

腕を上げて
10回
＋
腕を下ろして
10回

POINT!

くびれを作る
イメージで

上から下へ
10回
＋
下から上へ
10回

ここを使う！

ここでもOK

同じ方法で、背中も行えば、背中のムダ肉がスッキリしますよ！

Matty's Advice

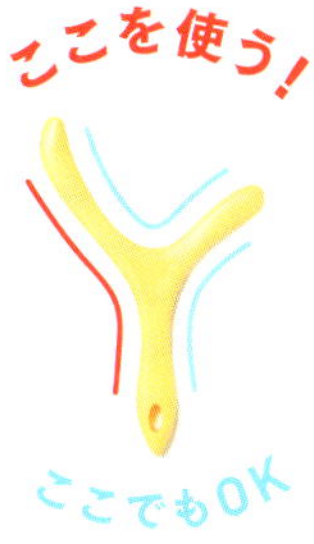

わき〜ウエストを
上下に押し流す

解毒棒の親指側を持ち、Cカーブをわきの下に当て、ウエストへ押しすべらせる。次にウエストからわきの下へ押しすべらせる。各10回。1〜4を反対側も同様に。

顔のリフトアップ

1 側頭部から頭頂へ押し流す

POINT! 少しずつ動かしながら引き上げる　10回

ここを使う！

解毒棒を基本の持ち方で持ち、親指側が耳の上にくるようにしてAカーブを頭に当てる。頭皮を少しずつ動かしながら、頭の上に向かって引き上げる。これを10回。

2 親指側の先端でこめかみをプッシュ

POINT! 3秒押して離す動作を繰り返す　10回

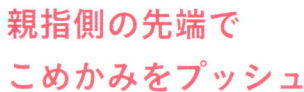

ここを使う！

基本の持ち方のまま、解毒棒の親指側の先端をこめかみに当てて、3秒押して離す動作を繰り返す。イタ気持ちよく感じる程度の強さで行って。これを10回。

3 フェイスラインをポンポンと引き上げる

POINT! 手首を返しながらピアノタッチで引き上げる　各10回

ここを使う！

基本の持ち方で持ち、棒の人差し指側の側面をフェイスラインに当てて、手首を返しながらポンポンと軽く頬を引き上げる。1ヵ所10回、フェイスラインをまんべんなく行う。

4

POINT!
たるんだ頬を
引き上げる
イメージで

各10回

フェイスラインから
耳へ引き上げる

解毒棒の人差し指側の側面をフェイスラインに当て、耳に向かって引き上げる。引き上げたら3秒ほどキープ。これを、頬を3ブロックに分けて各10回ずつ行う。

ここを使う!

5

POINT!
首筋を
鎖骨に
向かって

各10回

耳の下から首筋を
下へと押し流す

基本の持ち方で、棒の人差し指側の側面を耳の下に当て、力を入れたまま、首筋に沿って鎖骨へ向かって押し流す。首筋を3ブロックほどに分けて1ヵ所10回ずつ行う。

ここを使う!

6

POINT!
イタ気持ちよく
感じる部分を
プッシュ

各10回

鎖骨の下を
3秒押して離す

基本の持ち方で持ち、棒の人差し指側の先端を鎖骨の下に当てる。イタ気持ちよく感じる部分を探して、3秒押して離す動作を10回繰り返す。1〜6を反対側も同様に。

ここを使う!
ここでもOK

肩・首こり

1

ここを使う！
ここでもOK

首の骨のわきを棒の先端で押す

基本の持ち方で持ち、親指側の先端で、首の後ろの骨のわきの、押すとイタ気持ちよく感じる部分を3秒押して離す。これを10回。イタ気持ちよく感じる部分すべてを同様に行う。

POINT!
イタ気持ちよく感じる部分をプッシュ

各10回

POINT!
棒の人差し指側の側面で流す

各10回

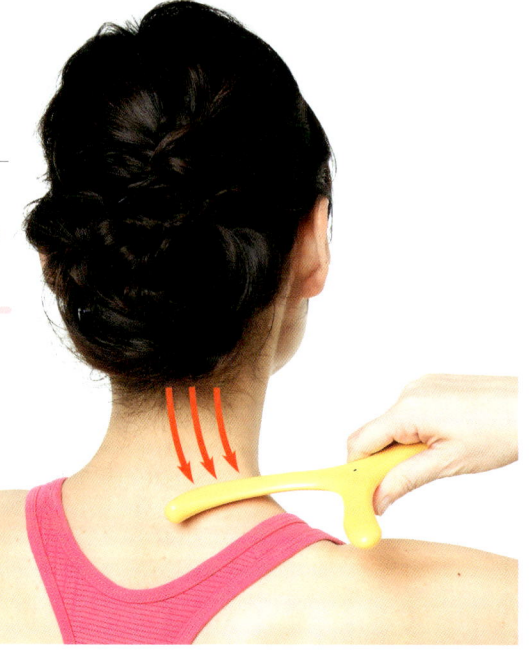

2

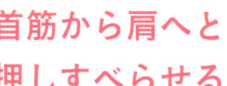
ここを使う！

首筋から肩へと押しすべらせる

解毒棒の人差し指側の側面を首に当てて、首筋に沿って肩に向かって上から下へと押しすべらせる。3ブロックほどに分けて1ヵ所10回ずつ。1、2を反対側も同様に。

Matty's Advice

筋肉の緊張をほぐすと痛みも和らぎます！

腰・背中のこり

ここを使う！

1 腰のイタ気持ちよく感じる部分を押す

持ち手を握って、棒の親指側と人差し指側の先端を腰に当てる。イタ気持ちよく感じる部分を探して、3秒押して離す動作を10回。イタ気持ちよく感じる部分すべてを行う。

POINT！
こりのある部分を探してプッシュ

各10回

ここを使う！

2 腰を上→下、下→上へ押し流す

棒の親指側を両手で持ってCカーブを腰に当て、上から下へと押しすべらせる。次に下から上へと押しすべらせる。これを各10回。

POINT！
腰を上下に押し流してよくほぐして

各10回

目のクマ

1ヵ所 10回

ここを使う!

目の下の骨のきわを目尻から目頭へプッシュ

親指側を短く持ち、親指側の先端の面を目の下の骨のきわに当てる。目尻から目頭へと少しずつ移動させながら、3秒押して離す動作を10回繰り返す。反対側も同様に行う。

鼻水・鼻づまり

1ヵ所 10回

ここを使う!

親指側の先端で鼻すじのわきのくぼみを押す

解毒棒の親指側を短く持ち、親指側の先端の面を鼻すじのわきのくぼみに当て、押してイタ気持ちよく感じる部分を3秒押して離す動作を10回。反対側も同様に。

腕の疲れ

1ヵ所 10回

ここを使う!

腕の付け根を棒で3秒押して離す

解毒棒の人差し指側を持ち、先端を腕の付け根の押すとイタ気持ちいい部分に当てて、3秒押して離す。これを10回。イタ気持ちよく感じる部分をすべて行って。反対側も同様に。

左右各 **10**回

脚の冷え・だるさ

そけい部を左右に押しすべらせる

親指側を持ち、Cカーブを脚の付け根のそけい部に当て、そのまま押したり、左右に押しすべらせる。これを10回。反対側も同様に。女性ホルモンのバランスも整います。

ここを使う！
ここでもOK

1ヵ所 **10**回

手の疲れ

手のひらのイタ気持ちいい部分をプッシュ

解毒棒の人差し指側を握り、先端を手のひらに当て、押してイタ気持ちよく感じる部分を3秒押して離す動作を10回。反対側もイタ気持ちよく感じる部分を同様に。

ここを使う！

各 **10**回

手の冷え

手の指の間を押し動かして刺激する

棒を基本の持ち方で持ち、人差し指側の側面を、もう一方の手の指の間に当て、前後に押し動かす。これを10回。すべての指の間を行って。反対側も同様に。

ここを使う！

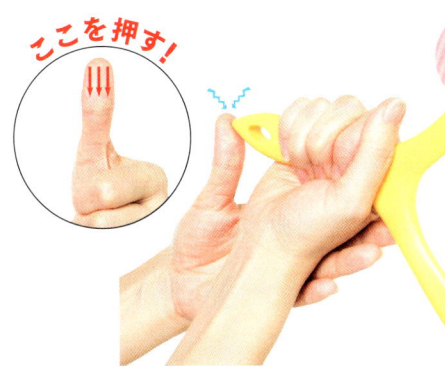

ここを押す！

1ヵ所 **10**回

ストレス・イライラ

親指の腹を上から下に押しすべらせる

手の親指の腹の大脳のツボの刺激が効果的。棒の持ち手を持ち、先端幅全体を親指の腹に当てて上から下へ10回押しすべらせる。腹全体をまんべんなく行う。反対側も同様に。

ここを使う！

25

足ツボ編
ASHI-TSUBO

解毒棒の持ち方

指先を押すとき

指先のツボなど、小さい範囲をピンポイントで押すときは、持ち手を握って、Mattyの関節にあたる先端をツボに押し当てる。

基本の持ち方

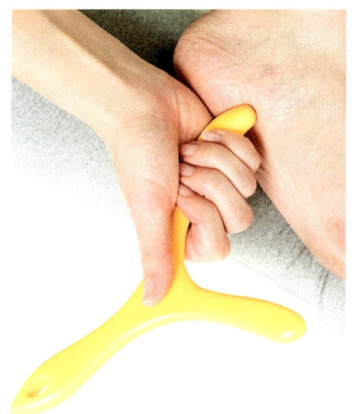

ツボ押しをするときは、棒の人差し指側を持ち、先端をツボに押し当てるのが基本。手の親指を棒の中央に当てると、ぐらつかず安定して押しやすい。

足ツボを行うときのルール

おすすめアイテム

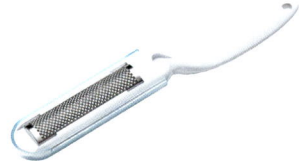

Mattyのアドバイスをもとに開発。ラウンド状の刃体で、頑固なタコや、足指側面や足指回りの角質ケアに最適。つるスベ かかと・角質削りポイント用 ¥900／貝印

Mattyオリジナルの足ツボ用クリーム。尿素配合で、肌になめらかになじみ、古い角質も除去。サロン専売品。¥700

※価格はすべて本体価格（税別）表示です。

まず足を清潔に。角質が厚い人はケアをして

足ツボは、足を洗って清潔にしてから行うのが理想的。また、足の角質が厚いとツボに刺激が届かないので、やすりなどで角質ケアを。

食後30分以上あけて行う

マッサージと同じように、足ツボも、食後すぐに行うと消化器官に負担がかかるのでNG。30分以上はあけてから行いましょう。

必ずクリームをつけて行う

肌に負担をかけないよう、必ずクリームをつけて行うこと。角質を柔軟にする尿素が20%配合されたクリームが特におすすめ。

足ツボ後は必ず白湯を200cc以上飲む

足ツボ後も、マッサージと同じように、流れた老廃物を尿として素早く体外に出すために、必ず体温程度の白湯を200cc以上飲むこと。

※ 体調により水分制限がある方は、医師に相談のうえ、医師の指示に従って白湯を摂るようにしてください。

おすすめ解毒コース

以下の手順で行うと解毒効果が最大限に高まります。足ツボは必ず心臓のツボがある左足から行ってください。

1 基本の解毒ツボ（左足）
← 2 お悩み別 足ツボ（左足）
← 3 基本の解毒ツボ（右足）
← 4 お悩み別 足ツボ（右足）
← 5 脚の脂肪・むくみとり（14〜17ページ）
← 6 白湯を飲む

必ずこの ② つのツボ押しから始めよう！

STEP 1 基本の解毒ツボ

足ツボは、解毒に関わる体のゴミ箱である腎臓と膀胱のツボ押しから始めます。解毒力が高まり老廃物の排出が促進します。必ず左足からスタートしてください。

膀胱

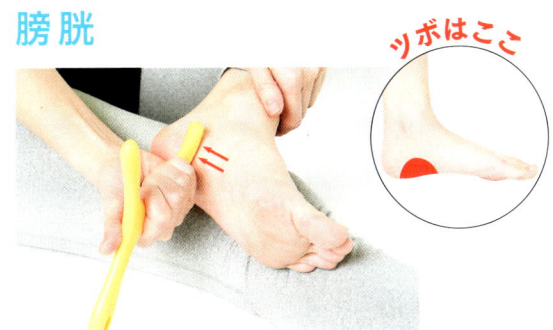

ツボはここ

Jの字を描いてたどり着く、足の内くるぶしの下にある半円の骨の内側のくぼみが膀胱のツボ。ここに解毒棒の人差し指側の側面を当て、かかと方向へと押しすべらせる。これを3回。

腎臓

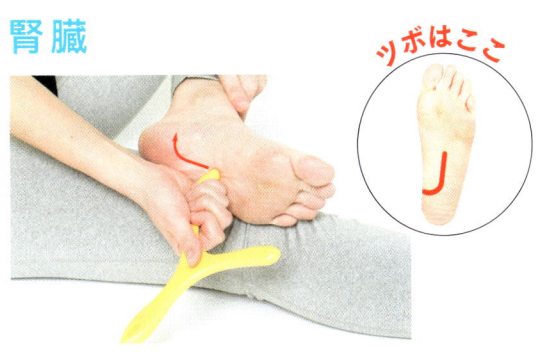

ツボはここ

解毒棒の人差し指側を持ち、先端を足裏の中央に当て、そこから下方向に押しすべらせ、かかとの盛り上がりの手前で内くるぶし側に向かってJの字を描くように下ろす。これを3回。

基本の解毒ツボの後に行おう！

STEP 2 お悩み別 足ツボ

便秘・下痢・デトックス

小腸

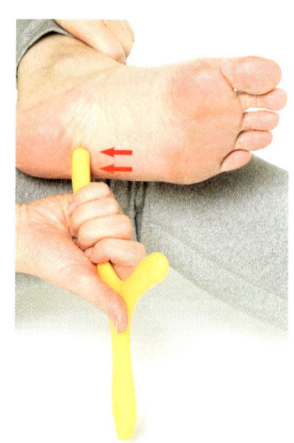

ツボはここ

小腸のツボは、十二指腸のツボと同じ高さの足の小指側にある。ここに棒の人差し指側の先端を当て、かかとの手前へと押しすべらせる。これを10回。反対側の足も同様に。

十二指腸

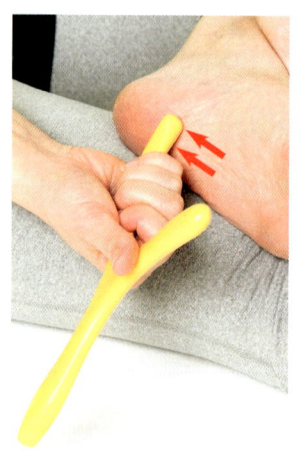

ツボはここ

棒の人差し指側を持ち、先端を、足裏の上から3/4の半分内側の位置に当て、かかとの手前へと押しすべらせる。これを10回。反対側の足も同様に。

冷え

指間リンパ

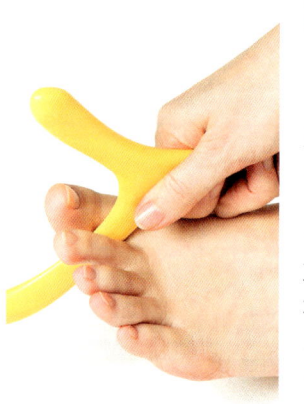

ツボはここ

足の指の間にある指間リンパのツボを刺激すると血行が促進し、冷えが改善。棒を基本の持ち方で持ち、人差し指側を指の間に入れ、側面で押しさする。各指の間10回。左右とも行う。

不眠

失眠点

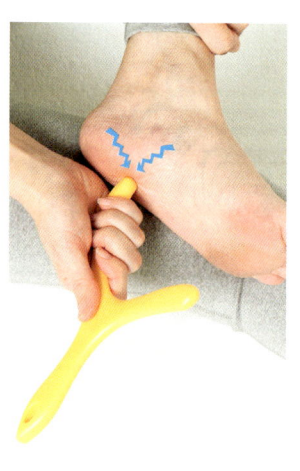

ツボはここ

不眠には、中指の延長線上にある、かかとの硬い部分の上の位置の失眠点の刺激が効果的。ここに解毒棒の人差し指側の先端を当て、3秒押して離す動作を10回。反対側も同様に。

生理痛・不妊・更年期のトラブル

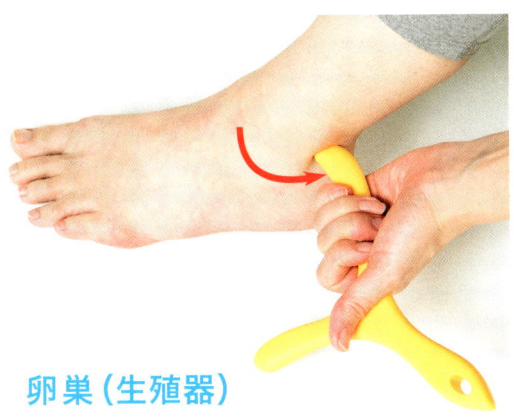

卵巣（生殖器）

外くるぶしの骨の周りの下半分にある卵巣のツボも効果的。解毒棒の人差し指側の先端を外くるぶしの骨の下に当て、前から後ろへ半円を描くように10回。左右とも行う。

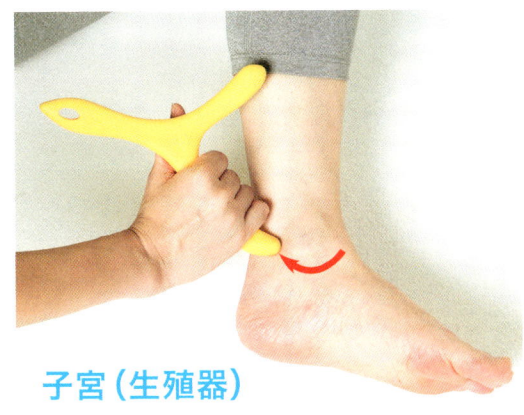

子宮（生殖器）

内くるぶしの骨の周りの下半分にある子宮のツボが効果的。棒の人差し指側の先端を内くるぶしの骨の下に当て、前から後ろへ半円を描くように10回。左右とも行う。

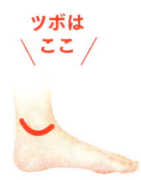

ツボはここ

やりきれないとき

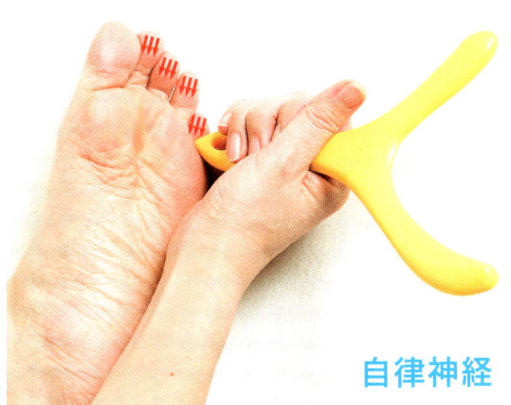

自律神経

親指以外の指の腹の自律神経のツボ押しを。持ち手の先端を人差し指の腹に当て、腹を3ブロックに分けて上から下へ押し流す。各10回。小指まで同様に。反対側の足も行う。

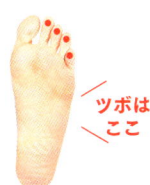

ツボはここ

ストレス・物忘れ

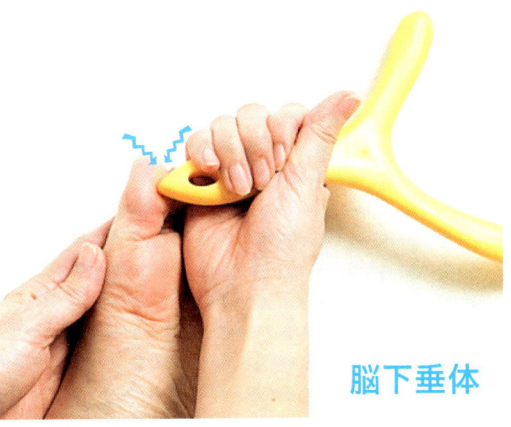

脳下垂体

ストレスに効果があるのが、親指の腹の中央にある脳下垂体のツボ。解毒棒の持ち手の先端の角を親指の腹の中央に当てて3秒押して離す動作を10回。反対側の足も同様に。

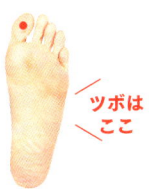

ツボはここ

ほかのお悩みは裏表紙の足ツボMAPを見てね！

解毒棒 Q&A

効果やお手入れ法など、解毒棒についてのさまざまな疑問にMattyがズバリ回答！

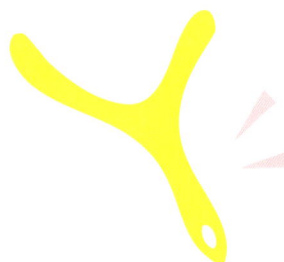

Q1
アザができたのですが、大丈夫ですか？

A1
いったん中断して治ったら再開しましょう

「解毒棒を使ってアザができるのは、余分な脂肪や老廃物がたまっているからです。その場合、一時中断して、治ったらまた行いましょう。続けるうちにアザができにくくなります」

Q2
力は強いほうがいい？

A2
強すぎるのはNG イタ気持ちいい程度に

「マッサージもツボ押しも、強く押すほどいいわけではなく、骨まで押すのはNG。イタ気持ちよく感じるくらいの力で、骨に当たる程度まで押せば十分に効果が得られます」

効果を高めるMattyのおすすめアイテム

BODY

5種類の植物エキスをブレンドしたボディ痩身クリーム。「肌の引き締めや保湿効果があり、マッサージ後におすすめ」。サティア SSクリーム 150g ¥4000／ライフサイエンスラボ

BODY

人間の皮脂に近いエミューオイル。「マッサージのときに塗ると、筋肉疲労の軽減や、美肌に！」。オイル・オブ・エミュー Mサイズ 125ml ¥4375／エスプリジャパン

FACE・BODY

筋膜リリースをサポートするクリーム。「塗って解毒棒でマッサージをすると引き締めに効果あり。体にも顔にも」。ボディリバース アクティブクリーム 200g ¥5800／ミットジャパン

GEDOKUBŌ Question & Answer

Q3
やればやるほど効果があるの？

A3
一日2〜3セットを限度に毎日続けるのがおすすめ

「一日に排出される老廃物の量には限度があるので、やればやるほど効果が上がるわけではありません。一日に無理に多く行うより、2〜3セットを限度に毎日続けるのが◎」

Q5
お手入れ方法は？

A5
汚れが気になったら、水や洗剤で洗浄を

「水洗いが可能なので、汚れが気になってきたり、オイルやクリームを使った後は、水やぬるま湯でよく洗いましょう。中性洗剤も使えます。洗った後は水気をよく拭き取って」

Q4
どのくらいで効果が出るの？

A4
むくみなど、行ってすぐ効果が出る場合も

「むくみをはじめ、クマや手足の疲れ、ストレスなどの不調については、行ってすぐ効果が現れることも。ただ脂肪を落とすには数週間ほどかかるので、コツコツと続けて」

BODY
「体に塗って入浴しながらマッサージすると肌しっとり」。アロマセラピー アソシエイツ ミニチュア バス オイルコレクション 3ml×10本 ¥5700／シュウエイトレーディング

FACE
コラーゲンやEGFなど配合の美容液。「肌あれやたるみに効果的で、マッサージのとき顔や首に」。エスプリューム モイスチャー リペアエッセンス 60ml ¥18000／オリオン薬販

FACE
角質を柔軟にしてメイクも毛穴の汚れもオフ。「入浴中に顔に塗って解毒棒でマッサージをすると肌がツルツルに」。マナラ ホットクレンジングゲル 200g ¥3800／ランクアップ

※価格はすべて本体価格（税別）表示です。

Matty（マティ）

足ツボ師。台湾で修業し、ツボ歴20年以上のキャリアをもつ。台湾足ツボをベースに、現代の足のトラブルに対応した各国のフットケアを盛り込んだ即効力と改善率の高い「Matty式足ツボ」を考案。足裏に道を甦らせ、健康維持を自分でできるようアドバイスする技法が人気の秘密で、女優やタレントなどからの信頼も厚い。現在は講演会やセミナーなどを通じて、自分でできる足ツボ・フットケアの直接指導などでも活動中。著書に、『Matty式 足ツボ 10分解毒マッサージ』『DVDで教える Matty 式 足ツボ解毒マッサージ』（以上、ワニブックス）などがある。

【Matty レッスンルーム（目黒）】
ご予約困難が続いておりますが、Matty 本人診断施術レクチャー付き「Matty 式特別施術」を不定期で募集しています。ご応募多数の場合は抽選となります。詳しくは公式HPをご覧ください。
公式HP http://matty830.com/

解毒棒 登録商標第5889855号

【スタッフ】
装丁・本文デザイン　青屋貴行
モデル　鈴木裕子
ヘアメイク　高橋里帆（Three Peace）
撮影　伊藤泰寛（講談社写真部）
編集協力　和田美穂

Special Thanks　NIKE JAPAN

講談社の実用BOOK
Matty式マッサージが自宅でできる!
脂肪とり! むくみとり! こりとり! 解毒棒®

2016年　4月　6日　第　1刷発行
2024年　8月　5日　第11刷発行

著　者　Matty
©Matty 2016, Printed in Japan

発行者　森田浩章
発行所　株式会社 講談社
　　　　〒112-8001　東京都文京区音羽2－12－21
　　　　編集　☎ 03-5395-3560
　　　　販売　☎ 03-5395-4415
　　　　業務　☎ 03-5395-3615

印刷所・製本所　大日本印刷株式会社

KODANSHA

落丁本・乱丁本は購入書店名を明記のうえ、小社業務あてにお送りください。
送料小社負担にてお取り替えいたします。なお、この本についてのお問い合わせは、第一事業本部企画部からだところ編集あてにお願いいたします。
本書のコピー、スキャン、デジタル化等の無断複製は著作権法上での例外を除き禁じられています。
本書を代行業者等の第三者に依頼してスキャンやデジタル化することは、たとえ個人や家庭内の利用でも著作権法違反です。
価格はカバーに表示してあります。

ISBN978-4-06-299842-0

【商品問い合わせ先】

p26
貝印　☎ 0120-016-410

p30
ミットジャパン　☎ 06-6229-0310
エスプリジャパン　☎ 03-6804-9470
ライフサイエンスラボ　☎ 03-5614-9480
ランクアップ　☎ 0120-925-275
オリオン薬販　☎ 06-6381-1141
シュウエイトレーディング　☎ 03-5719-0249